**W9-CQQ-391**

## Qu'est-ce que je fais ?

# Je fais de la peinture

Ray Gibson

Maquette : Amanda Barlow

Illustrations : Michaela Kennard
Rédaction : Felicity Everett
Directrice de la collection : Jenny Tyler
Traduction : Lucia Ceccaldi

## Aujourd'hui je peins...

| | | | |
|---|---|---|---|
| un perroquet | 34 | une scène dans le ciel | 52 |
| un chat sur un tapis | 36 | des moutons dans un champ | 54 |
| un monstre | 38 | un visage | 56 |
| une image effrayante | 40 | un épouvantail | 58 |
| des pingouins sur la glace | 42 | des poissons dans une cascade | 60 |
| des fleurs | 44 | un motif | 62 |
| un camion | 46 | d'autres motifs | 64 |
| un feu de joie | 48 | | |
| un cactus dans le désert | 50 | | |

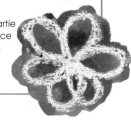

Aujourd'hui je peins...

# un perroquet.

1. Peins le corps ainsi.

2. Pour les ailes, mets l'empreinte de ta main de chaque côté du corps.

3. Peins la queue puis allonge les ailes.

4. Peins la tête.

5. Ajoute le bec, l'œil et les griffes.

6. Complète par le bout de la queue et des ailes.

Représente un perroquet perché avec une empreinte oblique de ta main.

Peins le reste du corps comme précédemment.

2   Et maintenant, si tu peignais...
une rangée de perroquets perchés sur une longue branche ?

Pour imprimer un fond de feuilles, peins la face rugueuse d'une feuille et presse-la contre le papier.

# un chat sur un tapis.

1. Dessine la tête d'un chat au pastel, près du bord de la feuille.

2. Trace le corps, le visage, la queue et les moustaches. Repasse sur chaque trait.

3. Avec un autre pastel, fais un rectangle autour du chat. Ajoute rayures et motifs.

4. Applique de la peinture noire liquide sur le chat pour que le tracé soit visible.

5. Peins le tapis de différentes teintes en laissant apparaître les motifs.

6. Pour finir, ajoute une frange aux deux extrémités du tapis.

Tu peux n'utiliser qu'une teinte pour le tapis.

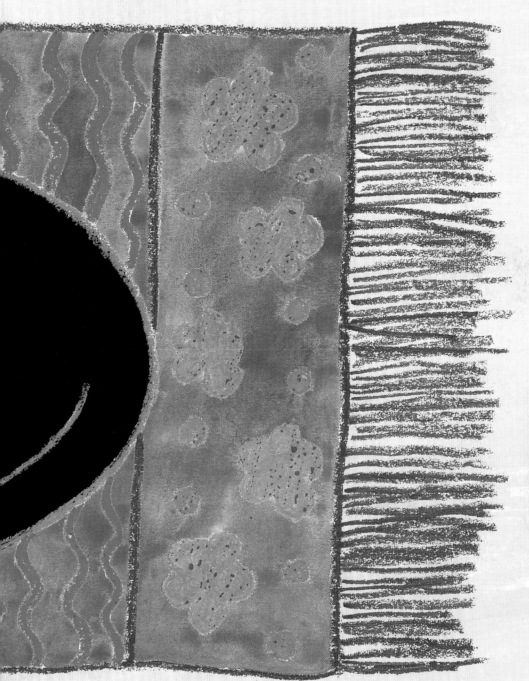

## Un chat dans l'herbe

Dessine un chat au pastel jaune et des fleurs autour. Applique de la peinture orange sur le chat et de la peinture verte sur les fleurs.

Et maintenant, si tu peignais...
une fenêtre avec des rideaux imprimés ?

Aujourd'hui
je peins...

# un monstre.

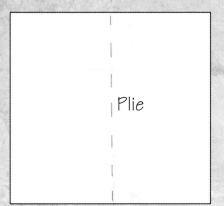

**1.** Plie la feuille en deux. Appuie fermement puis déplie-la.

**2.** Avec un chiffon humide, étale de la peinture bleue pour le ciel.

**3.** Peins la silhouette d'un arbre le long d'un bord de la feuille. Plie de nouveau cette dernière et appuie fermement.

**4.** Lorsque tu la déplies, il y a un arbre de chaque côté. Laisse-les sécher.

**5.** Fais des taches de peinture au centre de la feuille comme ceci. Utilise des tons de couleur vive.

**6.** Plie la feuille et appuie. Déplie-la et quand la peinture est sèche, ajoute les yeux et les dents.

Et maintenant, si tu peignais...
un extraterrestre ?

Aujourd'hui
je peins...

# une image effrayante.

## Une forêt hantée

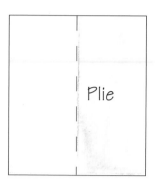 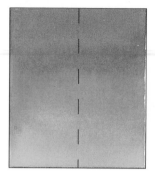  

Plie

1. Plie ta feuille en deux. Appuie fermement et déplie-la.

2. Avec un chiffon humide, étale de la peinture rouge et jaune.

3. Peins des arbres sur un côté avec de la peinture noire liquide. Plie, appuie.

4. Laisse sécher, puis peins des yeux effrayants dans les arbres.

## Un dragon

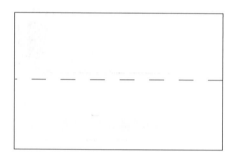  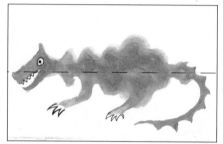

1. Plie ton papier en deux. Appuie fermement puis déplie-le.

2. Peins des taches au milieu de la page. Plie-la, appuie et déplie-la.

3. Peins la tête, les pattes et la queue quand le corps est sec.

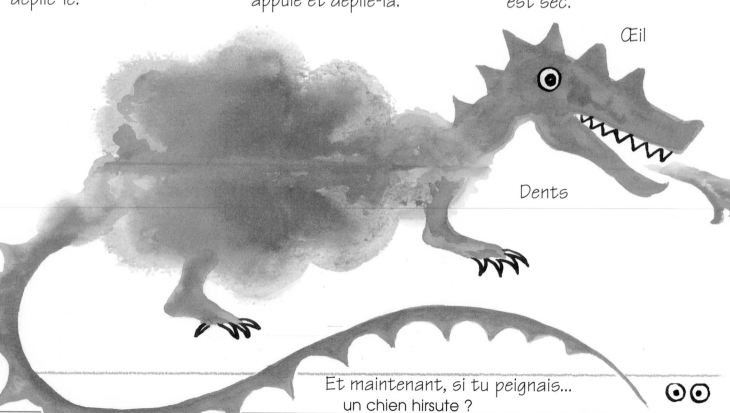

Œil

Dents

Et maintenant, si tu peignais...
un chien hirsute ?

Aujourd'hui
je peins...

# des pingouins sur la glace.

Glace

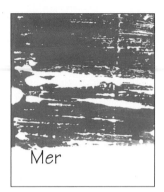

Mer

Mer de glace

1. Avec un chiffon humide, étale de la peinture blanche sur le bas de la page.

2. De la même façon, applique de la peinture bleue sur le reste de la page.

3. Peins en blanc de la cellophane. Appuie le côté peint sur la partie bleue de la page.

4. Ote doucement la cellophane et répète jusqu'à ce que le blanc forme des motifs.

## Les pingouins

Bec

Œil

Pieds

1. Peins un corps.

2. Ajoute des ailes.

3. Laisse sécher.

4. Termine par le ventre.

## Un poisson

1.

2.

3.

Et maintenant, si tu peignais...
des canards sur une mare gelée ?

# des fleurs.

## Des coquelicots

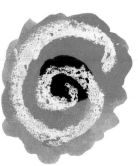

1. Avec une bougie claire, dessine des formes en volute pour les pétales.

2. Peins par-dessus comme ceci.

## Des marguerites

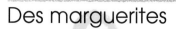

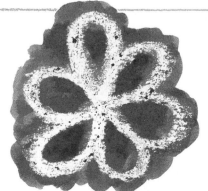

1. Avec la bougie, dessine des pétales en forme de boucle.

2. Peins par-dessus comme ceci.

## Des tulipes

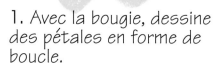

1. Dessine des pétales verticaux avec la bougie.

2. Peins par-dessus comme ceci.

## Des boutons

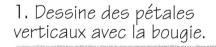

1. Trace de petits gribouillis avec la bougie.

2. Peins par-dessus comme ceci.

Et maintenant, si tu peignais...
un grand chapeau avec des fleurs dessus ?

13

Aujourd'hui
je peins...

# un camion.

**1.** Trempe le bout d'une éponge rectangulaire dans de la peinture. Appuie-la sur le papier.

**2.** Imprime deux autres rectangles de chaque côté du premier.

**3.** Pour le moteur, imprime un quatrième rectangle devant les trois autres, comme ci-dessus.

## Peins une route embouteillée.

Peins des camions, des camionnettes et des bus.

Utilise la face la plus grande de l'éponge pour cette camionnette.

Pour le bus, utilise la face longue et étroite de l'éponge.

Ce petit camion a trois paires de roues.

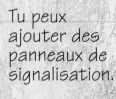

Tu peux ajouter des panneaux de signalisation.

14

4. Pour la cabine, imprime deux bandes avec l'extrémité d'une boîte d'allumettes.

5. Pour les roues, utilise une pomme de terre coupée et pour le phare, le bout d'un bouchon.

6. Pour la route, trempe du papier froissé dans de la peinture grise et appuie-le sur ta feuille, sous le camion.

Amuse-toi à inventer tes propres panneaux de signalisation.

Avec une boîte d'allumettes, imprime les fenêtres...

ainsi que les trois rectangles sur le devant.

  Et maintenant, si tu peignais...
des camions montant sur un ferry ?

# un feu de joie.

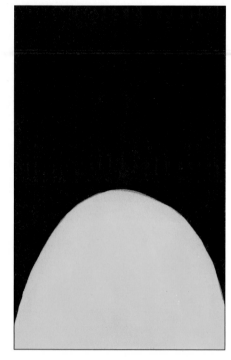

1.Prends une feuille de papier noir et de la peinture jaune liquide. Peins une forme en dôme pour le feu de joie.

2. Avec de la peinture rouge liquide, ajoute des bandes sinueuses sur le dôme.

3. Mélange les deux teintes de peinture avec les doigts pour faire les flammes.

6. Avec un pinceau, asperge le feu de peinture pour faire les étincelles. Installe-toi de préférence à l'extérieur.

4. Trempe du papier froissé dans de la peinture blanche. Tamponne sur le noir pour représenter la fumée.

5. Peins des bûches et des brindilles en noir. Peu importe si les couleurs se mélangent.

Et maintenant, si tu peignais...
un feu d'artifice ?

# un cactus dans le désert.

1. Peins une bande ondulée pour le sable en bas d'une très grande feuille.

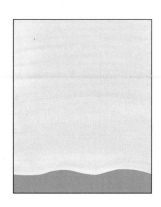

2. Avec un chiffon humide, étale de la peinture pour le ciel.

3. De même, fais des filets de peinture rouge pour les nuages.

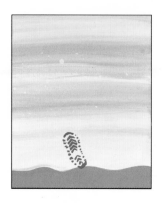

4. Peins la semelle d'une chaussure en plastique et appuie-la sur la feuille.

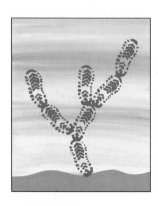

5. Fais d'autres empreintes qui se chevauchent. Repeins à chaque fois la semelle.

6. Ajoute au pinceau des fleurs roses et un soleil de couleurs vives.

7. Fais les pierres avec un doigt trempé dans de la peinture orange.

Cactus

Oiseaux

Fleurs

Certains cactus du désert sont plus grands que l'homme.

Pierres

Et maintenant, si tu peignais...
un tournesol, avec une semelle de botte pour les pétales ?

19

# une scène dans le ciel.

1. Découpe des nuages dans des bouts de papier. Pose-les sur une grande feuille épaisse.

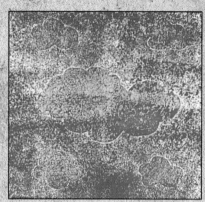

2. Avec une éponge humide, tamponne de la peinture bleue tout autour des nuages.

3. Quand toute la feuille est recouverte de peinture, retire doucement les nuages.

4. Peins des montgolfières dans le ciel, et des avions exécutant des acrobaties.

5. Quand les avions et les montgolfières sont secs, décore-les de motifs colorés.

6. Ajoute des traînées de fumée aux avions avec un morceau d'éponge imprégné de peinture.

Et maintenant, si tu peignais...
des cerfs-volants dans le ciel ?

Aujourd'hui je peins...

# des moutons dans un champ.

3. Enroule un fil de laine ou de coton autour d'une vieille carte d'anniversaire. Une fois la carte recouverte, scotche le bout du fil et coupe ce qui ne sert pas.

1. Dessine les corps des moutons sur des bouts de papier et découpe-les.

2. Trempe-les dans l'eau. Égoutte-les puis place-les sur ta feuille.

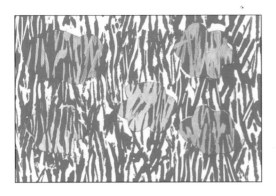

6. Ajoute des fleurs réalisées avec une empreinte du bout du doigt.

4. Peins le fil en vert sur un côté et appuie-le sur ta feuille. Ajoute de la peinture au fur et à mesure.

5. Enlève doucement les moutons de papier. Peins la tête et les pattes au pinceau fin.

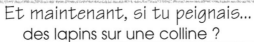

Et maintenant, si tu peignais... des lapins sur une colline ?

23

# un visage.

1. Demande à un adulte de couper une grosse pomme de terre en deux.

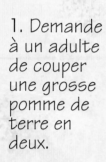

2. Trempe une moitié de la pomme de terre dans de la peinture pour faire le visage.

3. Prépare un peu de peinture liquide et verse-la le long du haut du visage.

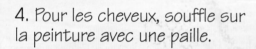

4. Pour les cheveux, souffle sur la peinture avec une paille.

5. Pour les yeux, trempe un doigt dans la peinture.

Ajoute de longs cheveux et une couronne pour une princesse.

6. Peins le nez et la bouche.

Ajoute des oreilles décollées et une bouche ronde pour un bébé.

Et maintenant, si tu peignais...
des animaux avec des empreintes de pomme de terre ?

Pour un clown, peins des cheveux de couleur vive, un nez rouge et un chapeau.

Tu peux ajouter des cheveux et une barbe hirsutes...

ou de drôles de lunettes et un nœud papillon.

# un épouvantail.

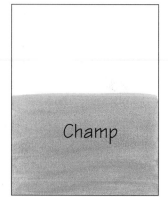   

Champ

Ciel

Nuages

1. Avec un chiffon humide, étale de la peinture marron sur la moitié de la page.

2. Toujours avec un chiffon humide, applique du bleu sur le reste de la feuille.

3. Avec un chiffon humide propre, enlève un peu de la peinture bleue.

4. Épaissis du jaune avec de la farine. Peins des rangées d'épis avec le doigt.

5. Avec de la peinture épaisse, peins une tête en forme de navet et un bâton pour le corps.

6. Peins ensuite des vêtements avec les doigts. Ajoute des yeux, une bouche et un nez en carotte.

7. Fais les cheveux de paille avec le bord d'un bout de carton trempé dans de la peinture jaune.

## Peins des cochons dans de la paille.

Pour peindre des cochons, utilise tes doigts ou un pinceau.

Fais la paille avec le bord d'un morceau de carton.

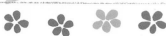

Et maintenant, si tu peignais...
des oiseaux dans un nid ?

# des poissons dans une cascade.

1. Avec un chiffon humide, applique de la peinture bleue en bandes verticales.

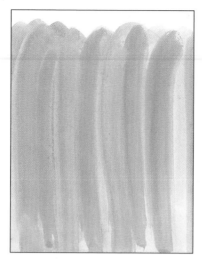

2. Ajoute des bandes vertes dans le même sens en utilisant la même technique.

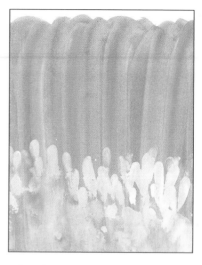

3. Fais des empreintes de main blanches tout le long du bas de la feuille.

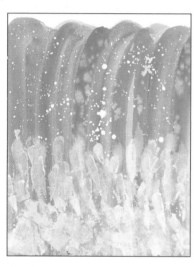

4. Avec un pinceau, asperge la feuille de peinture blanche pour faire les embruns.

5. Sur une autre feuille de papier, peins plusieurs poissons de couleurs vives.

6. Laisse sécher la peinture, puis ajoute des motifs.

7. Découpe les poissons et colle-les sur l'image de la cascade.

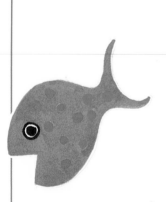

Et maintenant, si tu peignais...
un fond sous-marin avec des empreintes de main pour les algues ?

# un motif.

1. Mélange de la farine à de la peinture de deux teintes différentes afin de bien l'épaissir.

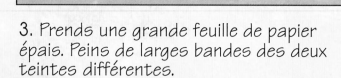

2. Coupe une vieille carte postale en deux et découpe le plus petit côté en dents de scie.

3. Prends une grande feuille de papier épais. Peins de larges bandes des deux teintes différentes.

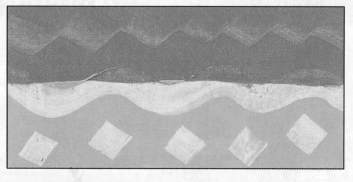

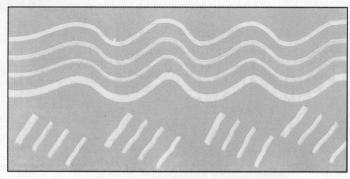

4. Frotte les bandes peintes avec le bord rectiligne de la carte pour représenter des motifs de toutes sortes.

5. Puis frotte avec le bord en dents de scie pour faire d'autres motifs rectilignes ou sinueux.

# Un papillon

1. Applique une épaisse couche de peinture sur une grande feuille.

3. A l'aide d'un crayon, dessine la moitié d'un papillon contre la pliure. Appuie très fort sur le tracé avec le doigt.

2. Plie-la en deux, la face peinte à l'intérieur.

4. Déplie la feuille.

Pour changer de motif, peins par-dessus le précédent et recommence.

  Et maintenant, si tu peignais...
un motif avec un vieux peigne ou un bouchon ?

# d'autres motifs.

1. Plie un morceau d'essuie-tout en deux puis encore en deux.

2. Plie-le en deux encore deux fois et appuie très fort.

3. Trempe les coins dans de la peinture liquide.

4. Place le bout d'essuie-tout plié entre les pages d'un journal. Passe l'ensemble au rouleau à pâtisserie.

5. Retire l'essuie-tout et déplie-le très doucement.

## D'autres formes

Plie un bout d'essuie-tout en triangle et imprègne de peinture ses côtés ou ses coins.

Plie un bout d'essuie-tout en rectangle et trempe ses côtés dans la peinture.